ISBN SÉRIE 2-84580-048-7 / ISBN VOL. 2-84580-138-6
ISBN ÉD.ORIGINALE 4-09-136360-1

AYASHI NO CERES 7

Un conte de fées céleste

Yuu Watase

AYA MIKAGÉ

ELLE S'EST DÉCIDÉE À SE BATTRE CONTRE SON DESTIN, À RETROUVER LA ROBE DE PLUMES ET À RENVOYER CÉRÈS CHEZ ELLE.

PRÉSENTATION DES PERSONNAGES

RÉSUMÉ :

AYA MIKAGÉ, JEUNE LYCÉENNE APPAREMMENT NORMALE, EST LA DESCENDANTE D'UNE NYMPHE CÉLESTE. UN JOUR, SA PROPRE FAMILLE, LES MIKAGÉ, DÉCOUVRE EN ELLE LES GÈNES DE LA NYMPHE ET MONTE UN PLAN POUR L'ASSASSINER. ACCULÉE, AYA EN PERD SA PERSONNALITÉ ET SE CHANGE EN CETTE FAMEUSE CÉRÈS. CELLE-CI RÉVÈLE ALORS À AKI, LE FRÈRE JUMEAU D'AYA, QU'IL EST CELUI QUI LUI A VOLÉ SA ROBE DE PLUMES !

KAGAMI MIKAGÉ MET QUANT À LUI EN PLACE LE "PROJET C". SON PLAN CONSISTE À METTRE EN ÉVIDENCE LES GENS PORTEURS DU "GÉNOME C", CELUI DES NYMPHES, ET À LES RASSEMBLER POUR S'EN SERVIR. MAIS TOYA, L'HOMME DE MAIN DES MIKAGÉ S'ÉLOIGNE DE KAGAMI POUR REVENIR AUPRÈS D'AYA.

AU MILIEU DE TOUT CELA, L'ANCÊTRE DES MIKAGÉ FINIT PAR RENAÎTRE DANS LE CORPS D'AKI. AYA PERD ESPOIR LORSQUE

AKI MIKAGÉ

IL EST AVANT TOUT LE JUMEAU D'AYA. DANS UNE VIE PRÉCÉDENTE, IL AVAIT FORCÉ CÉRÈS À DEVENIR SA FEMME !! DEVENIR SA FEMME !!

YUHI AOGIRI

SUZUMI LUI A ORDONNÉ DE VEILLER SUR AYA. IL LUI A DÉCLARÉ SON AMOUR MAIS... ?!

TOYA :

IL A PERDU LA MÉMOIRE. IL S'EST LIBÉRÉ DU JOUG DE KAGAMI ET RESSENT DE L'AMOUR POUR AYA.

APPARAÎT SHURO, UN PER-SONNAGE PRÉTENDAN DÉTENIR LA ROBE D PLUMES. CE CHANTEUR STA DANS UN GROUPE POPULAIR S'AVÈRE BIENTÔT ÊTRE UN FEMME, AMOUREUSE DE KE L'AUTRE MEMBRE DU GROU PE. TOUS DEUX SONT POR TEURS DU "GÈNE C". CEPENDANT, KEI RÉAGIT MA AU MÉDICAMENT ET E MEURT. SHURO SOMBR ALORS DANS LE DÉSESPOI ET AYA , INQUIÈTE, VA À L RENCONTRE DE TOYA. MAI LES MIKAGÉ NE SONT PA TRÈS LOIN...

SOUHAITEMENT, CÉRÈS VERSION DISCUTABLE (POUR TOUS CEUX QUI DOUTERAIENT DE CETTE VERSION, MERCI DE TOURNER LA PAGE)

...SQUE MON ASSISTANTE H M'A PARLÉ DE CETTE IDÉE, J'AI FAILLI MOURIR DE RIRE. À TOUS LES YAMADAS, FANS DE BD DU JAPON, DE TOYA ET D'AKI, VEUILLEZ M'EXCUSER. L'IDÉE DU BAS ÉTAIT DE MOI. ÉGUISEMENT

À SUIVRE ?

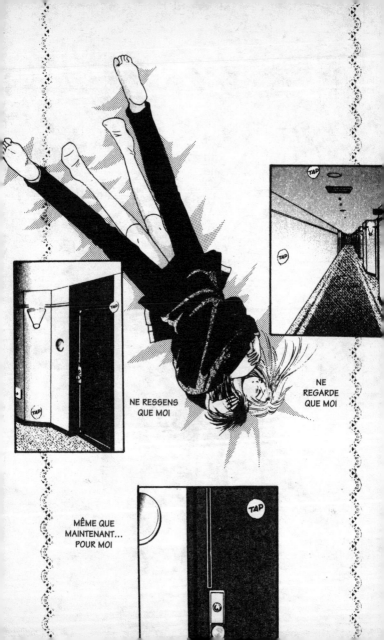

LES BLA-BLAS DE YUU WATASE

Et voilà, chers lecteurs ! On se revoit à nouveau ! Dans le volume 6, l'impression était trop légère ou bien les lignes peu appuyées. Certaines lignes de dessins étaient même invisibles, Watase en était plutôt triste ! Ceux qui ne savent appuyer avec un pinceau ne peuvent-ils pas utiliser un stylo bille ! (Au fait, j'écris beaucoup mais je n'ai jamais eu de bosse sur le doigt, pour montrer combien je n'appuie pas). Je voulais aussi vous dire, la force de Watase dans le poignet est de 25 pour le droit et 15 pour la gauche. Je suis très faible.

Bon ! Parlons un peu de la séance de dédicaces de Okinawa du 5 Avril ! Merci à tous ceux qui sont venus. Cette séance a eu lieu dans un grand magasin que l'on appelle "Palette Kumoji" (je crois ?) à l'intérieur d'une petite librairie et plein de personnes sont venues. En vrai, la plupart des gens ont voulu prendre des photos avec moi, chose que je ne fais que très rarement. Pourquoi cette fois-ci alors ?...

Pour le contenu du volume 6, j'étais déjà venue avec mes assistantes pour faire du repérage et je me suis dit "quel bel endroit...", cette fois aussi j'en garde la même impression. ! Vivre en plein dans cette nature, être entouré par des terres, je crois sincèrement que les gens de Okinawa sont privilégiés. Pour l'instant, une de mes assistantes, anciennement appelée M ou Ma est devenue complètement folle (rires) de Okinawa et y vient toute seule. "Quand je serai vieille, je viendrai vivre à Okinawa" c'est ce qu'elle nous raconte. C'est dire son degré de folie (rires).

Pour moi, depuis toujours, j'ai été séduite par les chansons populaires de Okinawa et le soir, par les bars de chansonniers. Je pense que c'est vraiment formidable. C'est ma troisième fois et la première fois, j'y étais allée pour étudier à fond l'histoire terrible de Okinawa, c'était très profond... La deuxième fois c'était avec une assistante (pour cause de reportage), nous avons même visité l'Actors School et c'était très intéressant. Au fait, "Feel", je les trouve vraiment class.

14

16

TAP

TCHAC

VLAN

!!

ARRÊTE

KAZU, JE TE DIS ...

20

OUI

TSS

PFF

WEÏ ? QUE FAIS-TU LÀ-BAS ?

JE NE T'AI PAS DEMANDÉ DE TUER TOYA !

P

P

P

!!

TRÈS BIEN

LAISSEZ TOM-BER TOYA ET REVENEZ ICI !

VOTRE VRAI LEA-DER N'EST PAS "L'ANCÊTRE", ALORS ARRÊTEZ DE FAIRE CE QUE VOUS VOULEZ

CHEF... POURTANT L'ANCÊTRE

OUAAH

PAF

MAIS UN JOUR, TU PEUX ÊTRE SÛR

...UN ORDRE EST UN ORDRE

PAF...

JE SUIS DÉSOLÉ DE VOUS AVOIR FAIT ATTENDRE. ILS VONT REVENIR NETTOYER LES CORPS ALORS IL FAUT QUE VOUS PARTIEZ

TAP TAP

TAP TAP

29

VRAIMENT...

VROOO..

JE VOUS AI ATTEN-DU LONGTEMPS À L'AÉROPORT, HIER. VOUS ÉTIEZ EN TRAIN DE VOUS DISPUTER ?

ON A LAISSÉ SHURO ET ÇA M'INQUIÈTE AUSSI ...JE N'EN CONNAIS PAS LA RAISON MAIS JE VOU-DRAIS QUE TU T'EXPLIQUES !

...MOI CHIDORI... JE SAIS CE QUE C'EST, L'AMOUR...

HM

IL FAUT ALLER CHERCHER LA ROBE DE PLUMES AUTRE PART. IL FAUT AUSSI SE SERRER LES COUDES

QU'EST-CE QUE TU RACONTES DÈS LE MATIN ?

MAIS JE CROIS VRAIMENT QUE YUHI EST MIEUX QUE TOYA POUR AYA. MÊME SI POUR LE MOMENT

ET ALORS

D'ACCORD, YUHI ET IL N'Y A QUE ÇA !!

HEIN ?

BOUM BADA BOUM CRAASH

DEVIENS LE PETIT AMI D'AYA

34

C'EST BON, JE RETROUVE LA ROBE DE PLUMES, JE M'OCCUPE DE CÉRÈS ET DE MIKAGÉ ET APRÈS...

ÇA NE M'ENNUIE PAS DE ME DONNER

PEU IMPORTE QUI IL EST

"PLUTÔT QUE MON PASSÉ, C'EST TOI QUE J'AI CHOISI!"

IL NE LUI SERA PLUS NÉCESSAIRE DE SE BATTRE !

J'AIME TOYA

ET ALORS LES CHOSES IRONT MIEUX...

IL NE RESTE QUE CES ENDROITS OÙ PEUT SE TROUVER LA ROBE DE PLUMES

IL FAUT RETROUVER LA ROBE DE PLUMES, JE DOIS LE CHERCHER

FLAp

LES BLA-BLAS DE YUU WATASE

Projet Spécial, Dictionnaire d'explications pour les maniaques de "Ayashi" !! N°1.

Ce projet passe en revue ce qui s'est passé dans "Ayashi" jusqu'à maintenant, afin de faire plaisir aux fanatiques de ce livre. Si cela vous inquiète profondément, laissez tomber et passez. (cependant, vous manquerez peut-être la clé importante de l'histoire).

La main mystérieuse : c'est une main de Cérès que le grand-père de la famille Mikagé a montrée à Aya et Aki. Toutes les filles de Mikagé sont destinées à la voir le jour de leurs 16 ans. C'est une cérémonie traditionnelle afin d'éviter que leur ancêtre Cérès, morte sans retrouver sa robe de plumes, ne revienne détruire la famille Mikagé. Mais ceux qui ont respecté cette cérémonie n'étaient que des vieilles personnes. La plupart de la famille la trouvait ennuyeuse sauf Kagami qui a participé à la place de son père. L'éveil avant Aya remonte à l'ère Taisho.

Les baguettes Yuhi : ce sont des baguettes utilisées par Yuhi dans le combat. Elles sont différentes de celles qu'il utilise pour la cuisine. En vrai, elles sont métalliques et utilisées comme des nunchakus. Elles ont été offertes par son père Aogiri afin de célébrer son entrée au lycée à la demande de Yuhi lui-même. Pour Yuhi qui adore la cuisine et qui connaît les arts martiaux, elles ont un rôle de concentration d'esprit. il les porte donc toujours sur lui comme un porte-bonheur.

L'éveil : c'est un phénomène qui se manifeste chez les filles qui voient une partie du squelette (la main de Cérès elle-même par exemple). Non seulement elles prennent la personnalité mais aussi l'apparence de Cérès. Dans ce cas, elles perdent leur personnalité formée en seize ans de vie. On ne sait pas pourquoi il s'agit de seize ans mais le premier phénomène d'éveil a été réalisé certainement à cet âge. Aki est le jumeau d'Aya, et a participé à cette cérémonie avec elle. Il s'est éveillé dans un autre sens.

Images : ce sont des images du passé de Cérès qui reviennent en mémoire au moment où Aya tombe du pont, par exemple. Comme Cérès renaît plusieurs fois, il y a des images de chaque fille éveillée. Mais il y a des images de Cérès elle-même quand elle avait son propre corps. Il semble que des souvenirs de haine, de tristesse et de colère font apparaître Cérès.

Marque : mirage d'Aya et pouvoir de Cérès, cette marque mystérieuse apparaît chaque fois qu'il se passe quelque chose. Dans le volume 6 et pour la première fois, nous avons su ce que c'était une chose inconnue qui était dans le corps de Cérès. C'est à l'origine un pouvoir qui cache une force incroyable mais nous ne connaissons pas pour le moment le rapport avec les nymphes célestes.

Projet C : c'est le diminutif d'un projet "Celestial" plus "Cérès". Kagami est le chef de ce projet qu'il poursuit en secret du monde entier. Nous allons connaître plus de choses dorénavant.

Porteur de Gène C : le sens de "C" est identique à celui de Projet C. Gène signifie ici "toutes les informations sur l'hérédité". C'est l'appellation totale des personnes qui héritent des gènes des nymphes célestes. Cela ne veut pas dire que tous les descendants en portent (c'est comme l'atavisme). Si on hérite des gènes humains de nos ancêtres, on sera humain comme les autres. Cela n'a aucun rapport avec cette histoire mais actuellement un projet qui essaie de lire tous les gènes humains est effectué dans le monde réel. En 2002, nous aurons 60% des informations.

Le médicament Vecteur : Comme indiqué ci-dessus, une chose inconnue venue du corps (sang) de Cérès est mélangé dans ce médicament. Sous la forme de capsule, c'est un appareil microscopique qui peut passer à l'intérieur des veines et qui éveille, de façon radicale, le pouvoir des nymphes célestes porteuses des gènes C. Mais, si ce médicament cause une réaction de rejet à l'intérieur du corps, la victime meurt. Si elle l'accepte, elle se transforme en nymphe céleste, réincarnation de son propre corps. Cela se passe souvent chez les femmes. Vecteur vient du mot vecteur de virus. On met un gène qui guérit la maladie le virus et on contamine les patients avec ce virus afin de soigner la maladie (je supprime les détails pour éviter que cela ne devienne trop spécialisé). À suivre.

MIYAGI

VOUS NE POUVEZ PAS PASSER VOTRE TEMPS À SAUTER LES COURS ! EN TOUT CAS, AYA ET LES AUTRES, C'EST MA RESPONSABILITÉ

QUOI, ON VA ENTRER À L'ÉCOLE DE MIYAGI ?

HEIN ?!

SHIZUGAWAMACHI, TSUNOMIYA, LE LIEU DU "ROCHER BAMBOU" QUI FAIT SURFACE

IL Y A LONG-TEMPS, UN HOMME S'EST APPROCHÉ DE L'ÎLE OÙ DES DIZAINES DE NYMPHES CÉLESTES DANSAIENT

IL L'A RAMENÉE ET SOIGNÉE. MAIS MALADE, ELLE NE MANGEAIT QU'UN PEU DE KAKI

ELLE S'APERÇURENT DE L'ARRIVÉE DE CET HOMME ET S'ENVOLÈRENT PROMPTEMENT VERS LES CIEUX, MAIS SEULE UNE NYMPHE CÉLESTE RESTA, PROTÉGÉE QU'ELLE ÉTAIT PAR UN CHIEN BLANC.

BIENTÔT, ELLE CESSA DE RESPIRER ET PAR LA SUITE, LE CHIEN BLANC SE LAISSA MOURIR

MOI, JE RENTRE, JE NE VEUX PAS !!

QUE DIS-TU YUHI !! TU ES VENU JUSQU'ICI

AUJOURD'HUI, CES LIEUX EXISTENT ET S'APPELLENT "LE TEMPLE DE LA NYMPHE CÉLESTE : TENNYOZUKA" ET "LE TEMPLE DU CHIEN : INUZUKA"

"LES VILLAGEOIS NE VOYANT PLUS REVENIR LA NYMPHE CÉLESTE ET LE CHIEN, ILS DÉCIDÈRENT D'ÉRIGER UN TEMPLE POUR CHACUN AU LIEU DIT DE TSUNOMIYA HACHIBANGUMAE."

MERCI

C'EST LE NOM QUE MA DONNÉ MA GRAND-MÈRE QUI EST DÉCÉDÉE

"MAYA", ET "AYA" ÇA SE RESSEMBLE, NON... MAIS C'EST UN CARACTÈRE PEU COMMUN ?

HEIN ? CETTE FILLE

STAP

OUI IL ME SUIT PAR-TOUT MÊME SI JE LUI DIS NON

MAIS DIS-MOI, C'ÉTAIT TON CHIEN TOUT À L'HEURE AVEC TOI ?

MES PARENTS M'ONT DIT QUE "AYA" SIGNIFIAIT "BEAUTÉ SAUVAGE"

MAIS EN VÉRITÉ, ON SE MOQUAIT DE MOI EN M'APPELANT "MONSTRE, MONSTRE", AH, AH, AH

KOTOMI !

IL S'APPELLE "MAMORU" ET C'EST LE COPAIN DE MAYA QUI LUI A OFFERT. IL S'APPELLE AUSSI MAMORU. MON NOM C'EST OZAKI

AHAH !

DIS, MIKAGÉ, TU VIENS DE TOKYO

48

50

C'EST LA 4E. DEUX D'ENTRE ELLES ONT PERDU CONSCIENCE ET L'ÉCOLE DIT QUE CE N'EST QU'UN ACCIDENT MAIS TOUT LE MONDE DIT

UNE FILLE QUE JE CONNAIS DANS L'ASSOCIATION DE CLASSE S'EST FAIT ATTAQUER... SON BRAS A ÉTÉ ARRACHÉ D'APRÈS UNE FILLE QUI L'AURAIT VUE. CE CHIEN A DISPARU AUSSITÔT !

HYAAAAAH!!

QU'IL S'AGIRAIT D'UN "CHIEN FANTÔME"

J'AI PEUR...

(C'EST DE TOI QU'ON DOIT AVOIR PEUR)

QUOI MIKAGÉ ON DIRAIT QUE TU ES UN FANTÔME

HYAAH!!

51

LES BLA-BLAS DE YUU WATASE

Pour ce reportage, j'ai tourné autour de deux endroits où auraient vécu des nymphes célestes. L'un d'eux s'appelle "Mekarushii". Cela se trouve à l'intérieur d'un quartier de résidences qui étaient occupées par des étrangers et normalement on n'a pas le droit d'y accéder mais grâce à un chauffeur de taxi qui a négocié, nous avons pu le visiter. (Il était vraiment sympa ce chauffeur. Mais les gens d'Okinawa sont tous très agréables). J'y suis entré et j'ai cherché. Il y avait des herbes hautes de partout… Il y avait aussi Okumaufuya dont on a parlé dans mon manga. Il y avait un relief de "la nymphe céleste", qui est apparemment très célèbre et je n'ai pu faire apparaître dans l'épisode ni l'un ni l'autre mais c'était très intéressant. Parmi les quatre légendes existantes, il y a celle de la maison de la nymphe céleste, que l'on trouve dans des documents, avec des photos et même son nom. Mon responsable d'édition m'a dit "il ne faut pas que cette famille lise notre manga" (rires). Mais surprise ! Quand j'ai regardé une lettre de fan "quoi ? Mais ce nom, je l'ai déjà…". Et en regardant son contenu "hein ?!" Sa fille est une lectrice assidue de "Ayashi" !! Lui, le lisait-il ? (je me demande s'il est venu à la séance de dédicaces), "Excusez-moi, si ça se trouve, j'ai utilisé une de vos légendes !" (rires).
Sur l'arbre généalogique, il paraît qu'il est bien écrit "nymphe céleste" et qu'il existe également une fête pour la célébrer. J'ai été très étonnée ! À Osaka aussi, leurs racines viennent d'Okinawa. C'est ce qui est écrit sur l'arbre généalogique et tout ça figure dans une lettre mais ça a l'air complètement différent de la personne de tout à l'heure. Les quatre enfants de la nymphe céleste sont toutes des filles dont le nom serait "triste" depuis quatre générations … C'est vraiment intéressant. Il existe aussi des gens qui seraient "peut-être aussi" mais alors… c'est vrai, vous êtes tous des gènes C ?

JE M'Y INTÉRESSE, C'EST TOUT !

ET QUEL EST LE RAPPORT AVEC LE CHIEN BLANC... ?

TU AS UN BEAU CORPS TOI...

POH

HEIN ?

AH

!

TU SAVAIS QU'AVANT MAYA SE RENDAIT AU TEMPLE DE TENNYOZUKA À SHIZUGAWA ?

NYMPHE CÉLESTE... LÉGENDE ?

AU SECOURS

OUI MERCI !

JE NE CONNAIS PAS PRÉCISÉMENT LA LÉGENDE MAIS J'AI UN LIVRE ANCIEN DESSUS... VIENS LE VOIR CHEZ MOI

IL FAUT L'EM-
MENER À L'IN-
FIRMERIE.
ATTENDS ICI,
JE VAIS CHER-
CHER UN
MÉDECIN !!

IL NE FAUT
PAS LA
BOUGER !
LA TÊTE A
PEUT-ÊTRE
UN CHOC !!

AYA

AYA...
AYA...

ÇA IRA,
ELLE VA SE
RÉVEILLER
TOUT DE
SUITE
!

C'EST
UN LÉGER
TRAUMATISME
!

IL FAUT QUE
JE RENTRE
MAINTE-
NANT... VOUS
AUSSI, REN-
TREZ AVANT
LA TOMBÉE
DE LA NUIT
!

OUI

INFIRMERIE

MAIS NON... EN PLUS VOUS N'AVEZ RIEN DE GRAVE, TANT MIEUX

HI HI

OUI... MERCI, DÉSOLÉ POUR LE DÉRANGEMENT

ÇA IRA MIEUX COMME ÇA

HEIN !?

MOI AUSSI

BON MOI JE RENTRE, AU REVOIR...

TAP

C'EST À CAUSE DE CETTE FILLE, JE LUI AI POURTANT DIT NON !!

QUOI ?

MAIS NON C'EST RIEN, JE PARLAIS TOUTE SEULE ♥

?

PEF

DÉSOLÉ POUR TOUT À L'HEURE... ON ME POURSUIVAIT ! TU AS APPELÉ "TOYA"

CE N'ÉTAIT QU'UN RÊVE, OUF

POURQUOI TU CRIES AUSSI FORT !!

OUF...

!!

CHIDORI EST BIZARRE CES DERNIERS TEMPS

QUOI ?

"POURQUOI AS-TU TUÉ TOUS CES GENS ?!"

IL Y A EU QUELQUE CHOSE AVEC TOYA ?

IL FAUT QUITTER CE GARÇON, IL EST DIFFÉ-RENT DE NOUS"

BOBOM

HEIN

GRRR...

RRRRR

REGARDE

TU L'AVAIS OUBLIÉ ? IL M'A ENCORE PROTÉGÉ

MALGRÉ LE SANG, CE N'EST RIEN DU TOUT... J'AI JUSTE FAIT UN TROU DANS MON UNIFORME TOUT NEUF

DING DONG

CETTE FILLE... OZAKI ? ELLE VA BIEN ? SON ÉPAULE A ÉTÉ MORDUE

DANS LA LUNE ?

GAAA

QUE FAITES-VOUS TOUTES LES DEUX

72

T'ES EN COLÈRE PARCE QU'ON EST DANS LA MÊME CHAMBRE ! C'EST UNE ERREUR DE CHIDORI

TANT MIEUX...

····

... QUOI ?

CETTE FILLE EST LA 5E ? ÊTRE MORDUE PAR UN FANTÔME, QUAND MÊME... IL AVAIT UNE RÉSISTANCE, MAIS

CE CHIEN M'AVAIT POUR CIBLE... MAIS À LA PLACE... UN PEU PLUS ET... MAINTENANT... PARDON ...

TANT MIEUX QUE CE NE SOIT PAS GRAVE ...

SNIF

...PAS DE PROBLÈME ! T'EN FAIS PAS

OUI MAIS... LA FAÇON DONT JE T'AI PARLÉ À L'INFIRMERIE

... IMPOSSIBLE, JE NE SAIS PAS QUOI LUI DIRE ...

T/C...

JUSQUE-LÀ... RESTE SAIN ET SAUF... TOYA

IL EST LA CIBLE DES MIKAGÉ À CAUSE DE MOI. S'IL A TRAHI L'"ORGANISATION" C'EST DE MA RESPON-SABILITÉ... IL EST COMME LE SEUL MÉCHANT DANS CETTE HISTOIRE...

... VOILÀ POURQUOI TOUT CE QUE JE DOIS FAIRE POUR L'INSTANT... C'EST DE VÉRIFIER L'HIS-TOIRE DE CE CHIEN BLANC...

84

LES BLA-BLAS DE YUU WATASE

Cette fois, je ne suis pratiquement allée nulle part. Seul l'hôtel "Alpira" était fantastique !! Le soir, seule marchant au bord de plage, Watase... Fuuuuu, au bruit des vagues, je me suis endormie. Depuis l'hôtel, on voit la mer de Chine. Ensuite, je suis montée dans le "Mogurin", un sous-marin qui plonge jusqu'à 30 mètres de fond ! C'est vraiment incroyable, le fond des mers. Les poissons sont beaux. Ah, Ah ! Je veux encore aller à Okinawa, oh oui !

Bon, je change d'histoire pour vous parler de Miyagi. Je suis allée en repérage mais à cause de la marée haute, je n'ai pu accéder à Takeshima. (j'y suis allée en bateau juste en face mais...). Voilà pourquoi je n'ai vu que la forme de Takeshima. À marée basse cependant, on peut y accéder. Shizugawa aussi, c'est un endroit très tranquille et agréable.

Cependant, j'ai vu le temple de Tennyozuka qui se trouvait au beau milieu des habitations. "Oh là !" me suis-je dit. Je l'avais déjà mentionné dans mon scénario mais quand je lis vos lettres, avant que ce ne soit divulgué, il y avait déjà des gens qui en avaient parlé, comme de Okinawa, et j'ai trouvé cela "très étrange". La légende de la nymphe céleste existe dans toutes les régions (non, dans tous les pays du monde), et Aya ne peut pas faire le tour de tous. Simplement, je ne peux que limiter les "endroits où est resté la robe de plumes" et peut-être que la prochaine fois, ce sera à côté de chez vous.

Au fait, c'est la première fois que je parle du nom d'Aya qui a plusieurs significations. Par exemple, celui qui est utilisé dans un mauvais sens selon les caractères et qui est pourtant l'utilisation la plus courante. Si l'on se fie au dictionnaire des caractères, le premier sens serait "femme désirable , séduisante" et la grand-mère d'Aya a pris exactement ce sens-là. En ce qui me concerne, je voulais un titre fort et en plus en tant que héros, il me fallait un nom qui ait un impact et soit facile à retenir. Il y a eu beaucoup de réticences mais je ne m'en suis rendu compte qu'au beau milieu de l'histoire. À suivre.

ELLE EST RESPONSABLE DE L'ASSOCIATION... ELLE EST GENTILLE AVEC TOUT LE MONDE ET COMME KATO ÉTAIT FAIBLE, J'AI L'IMPRESSION QU'ELLE COMPTAIT SUR ELLE

AH BON

C'EST UN CHOC ...MAIS C'EST BIE QUE HIROBÉ NE SOIT PAS LÀ. ELL S'EN EST BEAU COUP OCCUPÉE

ELLE FAIT PARTIE DE L'ASSOCIATION DE CETTE CLASSE

...QUOI ? LA FILLE QUI S'EST FAIT ARRACHER UN BRAS... C'EST SON AMIE...

C'EST VRAI QU'ELLE EST GENTILLE. YUKO AUSSI L'A DIT. LORS DE NOTRE BLESSURE, ELLE S'EST OCCUPÉE DE NOUS

OOOH

ELLE EST JOLIE MAIS ELLE AVAIT L'AIR SÛRE D'ELLE. C'ÉTAIT LORS DE LA FÊTE DE LA CULTURE ET ELLE ÉTAIT AUSSI EN CLASSE 3

REGARDE, KUSAGA AUSSI ? ÇA A ÉTÉ TERRIBLE POUR ELLE !

LA CLASSE 3, C'EST CATASTRO-PHIQUE... C'EST LA 2E PERSON-NE, C'EST CER-TAINEMENT À CAUSE DU "CHIEN BLANC"

O... OUI, JE DOIS ALLER AU GYMNASE ...

TU ES MALADE, DEPUIS TOUT À L'HEURE TU TE PENCHES VERS L'AVANT

HEM

MADEMOI-SELLE AOGIRI !!

... ELLE

86

AH LA LA !! MAIS QUE RACONTES-TU MIKAGÉ ?!

POURQUOI TU TE CACHES DEVANT, HEIN, AOGIRI ?

VOILÀ

SP

ESPÈCE D'OBSÉDÉ !! ET MOI QUI REGRETTAIS CE QUI S'ÉTAIT PASSÉ LA DERNIÈRE FOIS !! JE SUIS FURIEUSE

PAF PAF PAF

J'ESSAYAIS DE RÉCUPÉRER DES INFOS SUR LE CHIEN BLANC !! JE NE SAIS PAS POURQUOI MAIS MON CORPS ET MON ESPRIT SE COMPORTENT DIFFÉREMMENT ...

PA

PARCE QU'IL EST EN RELATION AVEC LES ÉLÈVES, IL A ÉTÉ DÉTESTÉ... MAIS SEULE UNE ÉLÈVE SE COMPORTAIT BIEN, CELA M'INQUIÈTE !

POUR MA PART, LES INFOS SONT LES SUIVANTES ! UNE DES PERSONNES QUI S'EST FAIT ATTAQUER ÉTAIT PROF DE MATHÉMATIQUES DES CLASSES 1 À 4

OUI

AÏE AÏE

AÏE AÏE

ALORS COMME ÇA, CETTE ÉLÈVE DE L'ASSOCIATION S'EST PLAINTE DE HIROBÉ ?

C'EST ICI

ET IL N'Y AURAIT PAS DE RAP-PORT AVEC HIROBÉ

JE NE COM-PRENDS PAS DES GENS S[...] FONT AGRES[...] SER PAR "UN[...] FANTÔME DE[...] CHIEN BLANC[...]

POURTANT TOUS LES MATINS, ELLE A EMMENÉ SON CHIEN MAMORU AU TEMPLE DE TEN-NYOZUKA COMME D'HABITUDE

MERCI D'ÊTRE VENUE SPÉCIA-LEMENT... ELLE M'A DIT IL Y A DEUX JOURS QU'ELLE SE SENTAIT MAL

JE ME DEMANDAIS CE QUI LUI ARRIVAIT

TU VEUX VOIR MAYA ?

HA BON ?

JE ME SENS MIEUX. MA MÈRE T'A DIT QUELQUE CHOSE ?

...DES PLAIES OUVERTES EN TRAIN DE GUÉRIR...

INCROYABLE? SUR SON CORPS

UN LABRADOR

CE CHIEN, C'EST UN LOVE LOVE D'OR !!

STAP

HEU, NON... OUI. TU VAS AU TEMPLE DE TENNYOZUKA ?

MAIS ! DANS LA LÉGENDE, JE CROIS QUE LA NYMPHE CÉLESTE EST RESTÉE AVEC UN CHIEN PAR DÉPIT

VRAI... MENT

DEPUIS UN AN TOUS LES MATINS

IL EN EXISTE UNE AUTRE OÙ ELLE AURAIT LAISSÉ UN ENFANT

C'EST PEUT-ÊTRE UN DES MES PARENTS

94

ET KATO... ON NOUS A DIT QU'ELLE EST MORTE HIER ...

UNE FOIS QUE VOUS VOUS ÊTES SÉPARÉES, ELLE A ÉTÉ ATTAQUÉE PAR LE CHIEN BLANC ET MOI AUSSI ...

... AU FAIT, TON AMIE OZAKI

HEIN ?

MAYA ?

JE N'ÉTAIS PAS SUR PLACE NON PLUS... KOTOMI... OZAKI, C'ÉTAIT LA PREMIÈRE FOIS

RIEN NE TE VIENT À L'ESPRIT POUR TOUS CEUX QUI ONT ÉTÉ ATTAQUÉS ?

QUE VEUX-TU DIRE ? NON, RIEN... !!

JE VOUS AI APPORTÉ DU THÉ... TU AS FAIT QUELQUE CHOSE ? COMMENT TE SENS-TU ?

TU PARAIS PLUS GENTILLE DE L'EXTÉRIEUR

JE ME SENS MIEUX JE M'OCCUPE DU RESTE...

NON, TOUT VA BIEN MAMAN !

MERCI ET EXCU-SEZ-MOI POUR LE DÉRANGEMENT

AH BON, DÉJÀ ?

JE VOIS QUE TU VAS BIEN ET C'EST TANT MIEUX

PARDON ! J'AI MANQUÉ LE 5ᴱ COURS ET IL FAUT QUE JE RENTRE...

... CETTE FILLE...

98

LES BLA-BLAS DE YUU WATASE

Pour "Aya" en caractère chinois, vous ne pensez pas que cela pourrait vouloir dire "Ciel" et "Femme" et en inversant "Femme" et "Ciel" ? en se forçant un peu. Cependant, le caractère Aya peut aussi signifier "malheur", c'est compliqué. Dans ce nom "Aya" il y a le sens également de "beauté" ou de "pureté"... Il reste quand même le sens de "Malheur" ou "mourir jeune" Bououououh... Mais bon, il y a un bon impact pour retenir le nom... "Aki" est moins passionnant. Pour Aya, je crois que sa grand-mère lui a donné ce nom en connaissant par avance son destin. C'est ce que je me dis.

Bon la fois dernière, j'avais un peu parlé des caractères de chacun. Les pro Yuhi et les pro Toya sont bien distincts. Yuhi gagne des points parce qu'il fait pitié en gardant de l'amour à sens unique pour Aya ou en donnant l'impression d'être fidèle.

D'abord, la plupart des garçons soutiennent Yuhi dans leur ensemble (c'est évident). Mais d'après mes assistantes, "si on l'impose d'une façon aussi radicale, les filles ne s'y intéresseront plus..." (rires). Ou encore, il est trop près d'Aya et devient plutôt "un membre de la famille". Cela me semble vrai. En vérité il est très sympa. Il n'est encore qu'un adolescent mais c'est là son charme. Pour ceux qui soutiennent Toya, ils disent à propos de Yuhi qu'il est "bruyant et [qu'il] devrait se tenir en garçon adulte calme" ou que c'est un "obsédé, je le déteste" entre autres. Pour ceux qui regardent bien, Yuhi n'est pas un obsédé. Ce n'est qu'un garçon ! Dans le précédent "Fushigi", beaucoup ont traité le héros d'obsédé mais ce n'est pas juste. Vous êtes trop idéalistes vis-à-vis des garçons ? En vérité les garçons de collèges ou lycées pensent en moyenne toutes les 5 minutes à quelque chose d'obscène. Ou bien toutes les minutes ? Et ils sont pratiquement tous les jours en train de se masturber. (est-ce bien d'en dire autant ?) Mais c'est la vérité, ça alors. À la prochaine !!

C'EST FAUX, CE N'EST PAS MOI

"RIEN NE TE VIENT À L'ESPRIT"

JE LE PENSAIS UN PEU !

LORSQUE ONO DU COURS DE MATH M'A PRIS L'ÉPAULE, JE PENSAIS "J'AIME PAS ÇA"

AVEC KUSAGA, À DE LA FÊTE DE LA CULTURE, NOS OPINIONS ÉTAIENT DIFFÉRENTES

JE DÉPENDAIS TELLEMENT DE KATO, J'AVAIS L'IMPRESSION QUE JE DEVAIS FAIRE QUELQUE CHOSE ET ÇA MA DÉPLAISAIT

J'EN AVAIS MARRE DE KOTOMI ET DE SES BAVAR-DAGES

ET MIKAGÉ... COMME CELLE QUI M'A VOLÉ MAMORU, VIENT DE TOKYO

GRR RRR

À L'AT-
TENTION
DE MAYA
HIROBÉ...
?

NOUS NOUS SOMMES MARIÉS. MERCI
À TOUS ET POUR TOUJOURS.
ADRESSE : ZIP 152 1-23-4,
KATSURAGI-CHO
MEGURO-KU TOKYO CORPO
KATSURAGI 104 WASHIZU
MAMORU & MICHIYO

NOUS NOUS SOMMES MARIÉS

WASHIZU MAMORU

C'EST LA
FAIBLESSE
D'UN GARÇON
AMOUREUX,
HEIN ?

HM ?

MOI QUI LA
CHERCHE
COMME ÇA,
SUIS-JE
TROP GENTIL
?

BON
ALORS

VRAIMENT
AYA. ELLE
VEUT TOU-
JOURS TOUT
FAIRE TOUTE
SEULE

EN PLUS, SI TU AS DE LA HAINE... TU AS PENSÉ QUE CE CHIEN BLANC AURAIT PU LE MANGER

ALORS TU AURAIS DÛ PLEURER ET CRIER... AINSI LE CHIEN BLANC NE SERAIT JAMAIS VENU

...MAIS... FINALEMENT, TU AS REÇU SA "DERNIÈRE LETTRE"...

JE SAIS... C'EST PARCE QUE TU L'AIMES... QUE TU AS DE LA HAINE

MAIS MOI JE L'AIME !! J'AI DE LA HAINE MAIS JE L'AIME

NON !

PARDON... HUM... HEU

OUH OUH...

DIS AU REVOIR À "MAMORU"

......
HUM

OUH OUH OUH...

... MA ... MO ...

QUELQUES JOURS PLUS TARD

C'EST L'ÎLE OÙ VÉCURENT LE CHIEN BLANC ET LA NYMPHE CÉLESTE !

ON VOIT BIEN L'ÎLE DU BAMBOU

REGAR-DEZ, REGAR-DEZ

ON DIT QUE CETTE ÎLE EST DIFFÉRENTE DES TERRES ALENTOURS CAR ELLE S'EST FORMÉE IL N'Y A QUE TROIS MILLIONS D'ANNÉES

CLIC CLIC

OUI... MAIS TU NE TE TRANSFORMES PAS EN NYMPHE CÉLES-TE... SI TU PRENDS SOIN DE TOI, JE PENSE QUE MIKAGÉ NE TE DÉCOUVRIRA JAMAIS...

ÇA NE DONNE L'IMPRESSION QUE L'ON PUT Y TOU-VER LA ROBE DE PLUMES

COMME CHEZ NOUS À TOCHIGI, ON TROUVE TOU-JOURS DEPUIS CETTE ÉPOQUE LE VILLAGE OÙ HABI-TAIT LA NYMPHE CÉLESTE...

ELLE EST BIEN CONSERVÉE. ON Y TROUVE DES POTERIES DE L'ÈRE JOMON ?

DÉSOLÉ... POUR TOUT... VRAIMENT ...

UN GÈNE C"

GNN

120

MADAME KYOU, NOUS ALLONS AU TEMPLE, IL Y A PEUT-ÊTRE VRAIMENT LA ROBE DE PLUMES ?

QU'EST CE QUE VOUS AVEZ DIT ?

LA PEINE D'AVOIR BLESSÉ QUELQU'UN ET TOUTE LA DOULEUR DE LE PERDRE, ELLE AUSSI VA DEVOIR PORTER CE FARDEAU... LE JOUR... OÙ KATO A ÉTÉ ENTERRÉE, JE ME DEMANDE À QUOI ELLE A PU PENSER

JE NE LAISSERAI PLUS SORTIR "LE CHIEN BLANC"

CE SONT LES INFOS QUE J'AI TROUVÉES

MADAME KYOU, VOS NARINES

IL EST CERTAIN QUE PENDANT QUE TOUT LE MONDE SE CONSACRAIT AUX ÉTUDES, J'AI FAIT MA PETITE ENQUÊTE !!

"MOI, JE N'AI PAS BESOIN DE CE POUVOIR, JE NE VEUX PAS DEVENIR UNE NYMPHE CÉLESTE..."

IL A BRÛLÉ ?

MAIS JE N'AI JAMAIS ENTENDU QU'IL Y AVAIT EU UN FEU ICI

C'EST CE QUE L'ON DIT, MAIS ...

HIROBÉ N'EN SAIT RIEN NON PLUS !

RIEN SUR L'ÎLE DU BAMBOU... APPAREMMENT ON A DÉJÀ RETROUVÉ BEAUCOUP DE CHOSES !

COMMENT ?

CE N'EST QU'UNE LÉGENDE... C'EST PEUT-ÊTRE TRÈS RESSEMBLANT MAIS... C'ÉTAIT CE QUE L'ON VOUS A DIT ?

ET AU TEMPLE DE TENNYOZUKA ...?

2 : 00 DU MATIN

MAIS CE N'EST PAS UNE TOMBE ? IL A PEUT-ÊTRE ÉTÉ ENTERRÉ AVEC LA NYMPHE CÉLESTE

HA, JE VOIS !

ÇA VEUT DIRE QUE NOUS DEVONS LE DÉTERRER ! MAIS C'EST UN SITE CULTUREL PROTÉGÉ PAR LA VILLE !!

QUOI

CE SERAIT UNE AFFAIRE CRIMINELLE SI ON NOUS TROUVAIT !

SILENCE ON EST AU BEAU MILIEU DE QUARTIER RÉSIDENTIEL

VLIP

C'EST TRÈS RISQUÉ ? EN PLUS C'EST UN DÉTERREMENT ...

VLOP

CE SAPIN A PLUS DE 400 ANS ET SES RACINES SONT VRAIMENT...

TSH
TSH
TSH

QUE LES BLESSÉS NE FASSENT QUE REGARDER OK, MAIS C'EST CREVANT

IL NE FAUT PAS IMITER

HEIN ...?

OH OK ELLE EST PARTIE

UNE VOITURE !! À PLAT VENTRE

OH !!

JE NE M'AMUSE PAS, JE VOUS ENCOURAGE

ARRÊTE DE T'AMUSER, VIENS PLUTÔT AIDER

124

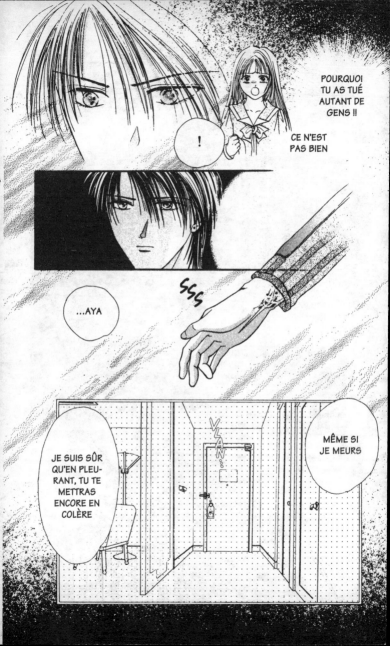

129

NOUS REGARDIONS LA LUNE

HEIN

QUE FAITES-VOUS LÀ !!

BANDE DE MENTEURS

...ET VOILÀ LA RAISON

CHIDORI NE VEUT PLUS ÊTRE POURSUIVIE PAR LA POLICE, JE DÉTESTE ÇA !! IL N'Y A PAS DE "ROBE DE PLUMES" À MIYAGI ! ALLONS CHERCHER AILLEURS !!

TOUT LE MONDE A COURU ASSEZ VITE, C'EST MIEUX AINSI MAIS NOS PROCHAINS MOUVEMENTS VONT POSER PROBLÈME

DEPUIS IL NOUS EST IMPOSSIBLE DE CONTINUER L'INSPECTION DU TEMPLE DE TENNYOZUKA !

JE SUIS D'ACCORD !! ALLONS À L'ÉCOLE MIXTE, J'EN AI MARRE DE CETTE TENUE...

AU FAIT, JE SUIS TOMBÉ EN M'ÉCHAPPANT

LES BLA-BLAS DE YUU WATASE

Bien qu'il soit très jeune, je pense que Yuhi a beaucoup de mérite d'avoir pu surmonter ça ! Même mes assistantes me disent "il a beaucoup de résistance" en éprouvant de la sympathie. ...Vraiment je crois qu'il se fait brûler vif (rires). Mais bon au plus vous éloignez les êtres humains, au plus ils tenteront de revenir vers vous. Regardez Aya par rapport à Toya. Je pense que ce côté mystérieux est plus attrayant. On s'éloigne puis on revient. C'est comme qui dirait l'amour à "l'état de calcul".

Bon nous arrivons presque à la fin du volume 7, et beaucoup doivent être surpris. Vous devez penser que Toya a dû être choqué par le comportement d'Aya. Et cela est inévitable. Cela s'appelle l'amour "à l'état de calcul" et comme tout le monde avant de réussir en amour, il faut d'abord insister énormément et puis d'un seul coup, Paf ! ça arrive ! Dans ce cas-là, on commence à émettre des doutes sur son partenaire et puis, s'il n'y a pas de réaction alors on se dit qu'il vaut mieux laisser tomber. Enfin il aura fallu qu'Aya attende jusqu'au volume 7 pour que Toya puisse se rendre totalement à elle... Je sais que les fans de Yuhi ont beaucoup de choses à dire mais cela ne changera rien. "Il y a ceux qui rient de bonheur pour ceux qui pleurent de déception" c'est ça la vie. Et ainsi vont les choses. Au fait j'ai l'impression d'avoir oublié quelque chose. Ah "à propos des personnages", qu'est ce qu'ils deviennent ? La prochaine sur la liste, c'est Cérès. Elle a une grosse cote Cérès. Il y en a beaucoup d'entre vous qui l'admirent. Je vois la fin du volume 7 et moi-même je me suis dit que, finalement, j'en ai dessiné, des scènes d'amour. Soyez patients pour la suite. À mon avis, j'ai passé une autre étape et je ne contrôle plus ce que j'écris ! Alors, (rires) à la prochaine dans le volume 8. Normalement cela doit sortir vers le 26 avril 98. Musique d'ambiance Titanic et Song To Fry Bio Hazard 2. Oh la la, "Fushigi Yugi" version roman 2 sortira en juillet !?

DING DONG DING DONG DING DONG

PRRRRRRR

IMPOSSIBLE

...TOYA

"UN CLIENT"

PRRRRRRR

PRRRRRRR

PERSONNE NE RÉPOND ET POURTANT ÇA SONNE

TOI ! RENTRE VITE DANS LA SALLE DE CLASSE !!

PRRRRRRR

GRRRR

JE VOUS LE CONFISQUE !! C'EST COMPRIS ...

SPAF

POURQUOI UN PORTABLE ICI !!

133

IL DOIT ALLER BIEN

DIS-MOI TOI ! TU N'ÉTAIS PAS À MIYAGI... TU ES SEULE

AYA !?

PARDON. SANS VOUS RIEN DIRE... ALORS TOYA ?! IL VOUS A APPELÉ ?

BON

...

TIC

TOUJOURS EN FORME ! OÙ ES-TU ALLÉE ?

QUOI ?

SHURO...
TU VAS
MIEUX
!?

SHURO
?

OUI ! IL S'EST
PASSÉ BEAU-
COUP DE CHOSES
DEPUIS... J'AI
PARLÉ AVEC MON
AGENT ET IL
SERAIT QUESTION
DE COMMENCER
UNE CARRIÈRE EN
SOLO

...MAIS J'AI
DÉCLARÉ QUE JE
PRENDS DES
VACANCES POUR
QUELQUE
TEMPS ! NI EN
TANT QUE GAR-
ÇON NI EN
TEMPS QUE
FILLE

SHURO,
C'EST PAS
POSSIBLE,
POURQUOI
!?

ÇA FAISAIT
LONG-
TEMPS
AYA !

LES CHEVEUX
TEINTS

QUELLE SURPRISE

JE VIENS
D'ARRIVER
ET JE VOU-
LAIS VOUS
RENCON-
TRER

SI LA FAMILLE MIKAGÉ N'AVAIT PAS RÉPANDU CE MÉDICAMENT, LA "FORCE DE LA NYMPHE CÉLESTE" NE SE SERAIT PAS RÉVÉLÉE

ET ILS SERAIENT RESTÉS LE GROUPE POPULAIRE "GESANG"... TOUJOURS ENSEMBLE

SHURO... DEPUIS L'ENTERREMENT DE KEI, IL A MAIGRI

AVEC KEI... NOUS L'AVONS FAIT À DEUX ALORS

QU'EST-CE QUE VOUS REGARDEZ ?

OUAH, SHURO, C'EST LE VRAI, INCROYABLE

...MAIS JE NE VOULAIS PLUS VOUS LAISSER SEULS !

ET ENSUITE ? TU ES REVENUE DE MIYAGI TOUTE SEULE AFFOLÉE... IL ME SEMBLE QU'IL NE S'AGIT PAS DE LA "ROBE DE PLUMES" ?

...JE VOIS

141

JE NE SAIS PAS...
JE NE COM-
PRENDS PAS...

"POURQUOI LES HOMMES ET LES FEMMES"

QU'EST-CE QUE CELA VEUT DIRE "AIMER"

RESTE

À CÔTÉ DE MOI

JE VEUX
SAVOIR
...

APPRENDS-MOI

TAP

AÏE...

!

!!

SI C'EST
DUR DE
RESPIRER

CE N'EST PAS
SIMPLEMENT
À CAUSE DE
SON BAISER

JE CROIS

UNE PLUIE DE BAISERS TOMBE

LA RESPIRATION SE MÉLANGE

LES BRAS SE NOUENT

ma gorge est sèche

MON CORPS FOND

MA TEMPÉRATURE
MONTE

une douleur sucrée s'envahit

SLL...

J'AI L'IMPRESSION QU'IL M'A
DIT QU'IL M'AIMAIT

... TO ...

DIS ENCORE MON NOM TOYA

... AYA ...

HEIN

ET VOILÀ
...

JE
...

SUIS HEUREU-
SE MAIS... JE
ME SENS UN
PEU GÊNÉE,
UN PEU
ÉMOUSSÉE
...

C'EST UN
DRÔLE DE
SENTIMENT...

IL EST SI
DOUX...
GENTIL, J'AI
UN SENTI-
MENT DE
PLÉNITUDE

TOUT LE MONDE
DOIT ÊTRE PAREIL... CE
N'EST PEUT-ÊTRE RIEN
MAIS C'EST UNE CHOSE
IMPORTANTE. LES GENS
QUI NE RECHERCHENT
QUE L'ARGENT OU LE
PLAISIR DOIVENT
ÉPROUVER CE MÊME
SENTIMENT

171

176

QU'EST-CE QUI ARRIVE À TOYA... ON LUI A PEUT-ÊTRE COGNÉ LA TÊTE...

JE VAIS ACHETER À BOIRE !

ÇA VA ? POURQUOI TU LIS CES GUIDES DE VOYAGE ?

LA COULEUR DE SON VISAGE

ICI... JE CONNAIS...

SHIZUOKA... ?

... C'EST PAS VRAI

MIHO ? ...POURQUOI... EST CE QUE CELA ME PARAÎT SI FAMILIER ?

...!!

CE DOIT ÊTRE ÇA! ON DIT SOUVENT QU'APRÈS UN CHOC, ON ARRIVE À SE SOUVENIR DE CE QUE L'ON AVAIT PERDU !

CELA DOIT AVOIR UN RAPPORT !?

TU ES EN TRAIN DE TE SOUVENIR DE TON PASSÉ...

179

180

ME FAIT MAL

MA POITRINE

ET VOILÀ

QUEL QUE SOIT LE DEGRÉ D'IDIOTIE, N'IMPORTE QUI PEUT COMPRENDRE

...

PARDON... YUHI, PAR-DON... PAR-DON...

AAH

MAIS C'ÉTAIT INÉVITABLE, JE CROIS

CONTENT QUE TU SOIS DE RETOUR ! DEPUIS HIER SOIR, YUHI FAISAIT CE MÊME VISA-GE, NORMAL SI LA FILLE QU'IL AIME PASSE TOUTE UNE NUIT AVEC UN AUTRE GARÇON. IL BROIE DU NOIR

SHURO

AYA EST RENTRÉE

...SANS BLESSER PERSONNE ET RIRE TOUT LE TEMPS ENSEMBLE, CE N'EST PAS ÇA L'AMOUR, AYA

QUOI ?!?

185

PEUT-ÊTRE RETROUVE-RA-T-IL LA MÉMOIRE

AYA

EN VÉRITÉ, LA DERNIÈRE FOIS, JE VOULAIS TE LE DIRE MAIS TU ES PARTIE TROP VITE

HEIN !?

QUAND SES SOUVENIRS... LUI REVIENDRONT... CETTE "RÉSOLU-TION"... EXISTE ?

... RÉSOLU-TION ?

186

PEUT-ÊTRE MÊME QU'IL AVAIT DÉJÀ UNE "COPINE". C'EST ÇA LA RÉSOLUTION DONT JE TE PARLE

OUH

SI SES SOUVENIRS LUI REVIENNENT, CELA VEUT DIRE QU'IL VA RETROUVER SON PASSÉ ?

À CAUSE DE ÇA... TOUT CE QUI L'ENTOURE RISQUE DE LE FAIRE CHANGER DU TOUT AU TOUT, SA PERSONNALITÉ... SA FAMILLE... SES AMIS

CE N'EST QU'UN EXEMPLE ! PEUT-ÊTRE CONTINUERA-T-IL À TE CHOISIR... JE NE VEUX RIEN DIRE MAIS... CE PEUT ÊTRE CE GENRE DE MAUVAISE HISTOIRE

MAIS CELA !! POUR L'INSTANT TOYA EST...

"AYASHI NO CERES 7 (FIN)"

"AYASHI NO SERESU !"
un conte de fées céleste
© 1996 by WATASE Yuu

All rights reserved
Original japanese edition published in 1996 by SHOGAKUKAN Inc., Tokyo
French translation rights arranged with SHOGAKUKAN Inc.
for Belgium, Canada, France, Luxembourg and Switzerland

Édition française :
© 2001 TONKAM
BP 356 - 75526 Paris Cedex 11

1ʳᵉ Édition : septembre 2001
2ᵉ Édition : janvier 2002

Traduction : Satoko Renaud
Adaptation, Lettrage et Maquette : Éditions Tonkam

Achevé d'imprimer en janvier 2002
sur les presses de l'imprimerie Sagim à Courtry (Seine-et-Marne).
Dépôt légal : janvier 2002
N° d'impression : 5570